图书在版编目（ＣＩＰ）数据

一只可爱的小袋鼠！／（法）赫斯特兰德编文；（法）哈恩绘；荣信文化编译. -- 西安：未来出版社，2010.6（2011.4重印）

（童年的星空纯美绘本）

ISBN 978-7-5417-4032-9

Ⅰ．①一… Ⅱ．①赫… ②哈… ③荣… Ⅲ．①图画故事－法国－现代 Ⅳ．①I565.85

中国版本图书馆CIP数据核字(2011)第047957号

童年的星空纯美绘本：一只可爱的小袋鼠！

Ecrit par：Jo Hoestlandt
Illustré par：Cyril Hahn
copyright 2003. by Éditions Nathan/VUEF, Paris, France,
pour la première édition,
copyright 2005. by Éditions Nathan, Paris, France,
pour la présente édition.
Édition originale: UN PETIT KANGOUROU TROP DOUDOU!

著作权合同登记号：陕版出图字25-2010-076
文字：[法] 乔·赫斯特兰德
绘图：[法] 西里尔·哈恩
编译：荣信文化
丛书策划：尹秉礼 陆三强 孙肇志
丛书统筹：王 元 王 怡 尹康琪
责任编辑：高 梅 贾文泓
特约编辑：朱自然 张 洵
美术编辑：董晓明 何 雯
技术监制：慕战军 段 辉
发行总监：陈 刚 雷彬礼
出版发行：未来出版社
出品策划：西安荣信文化

印刷：广东九州阳光传媒股份有限公司印务分公司
书号：ISBN 978-7-5417-4032-9
版次：2010年8月 第1版
印次：2011年8月 第2次
定价：81.60元（共12册）
网址：www.lelequ.com
联系电话：029-89189322

一只可爱的小袋鼠！

[法]乔·赫斯特兰德/文
[法]西里尔·哈恩/图

乐乐趣

未来出版社
Future Publishing House

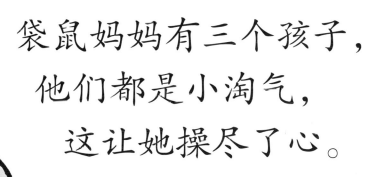

袋鼠妈妈有三个孩子，
他们都是小淘气，
　这让她操尽了心。

一大早，
第一个孩子就喊着："我渴啦！"
妈妈赶紧给他拿来喝的。
第二个喊道："我饿啦！"
妈妈赶紧给他拿来吃的。
第三个喊道："我热！"
妈妈赶紧把他放在袋子外面。
她对孩子们的关怀真是无微不至呀。

一天，
第四只小袋鼠出生了。
"哇，我最小的孩子多么可爱呀！"
袋鼠妈妈说。
她非常喜欢这个孩子。

但是，
这第四只小袋鼠，
看见妈妈的袋子里已经有三只小袋鼠，
就生气了。

大哥问他：

"你饿吗？"

"不饿。"小袋鼠没好气地说。

二哥问他：

"你渴吗？"

"不渴不渴！"小袋鼠不耐烦地说。

三哥担忧地问：

"你热吗？"

"不热，不热，一点也不热！"

小袋鼠生气地说。

突然小袋鼠哭着说：
"你们都在妈妈的袋子里，
我都没有地方了，
左边没有，右边没有，中间也没有！"
妈妈给了他一个亲吻作为安慰，
可是她也亲了其他的三只小袋鼠，
于是这个亲吻对于小袋鼠来说，
没有起到一点安慰的作用。

时间一天天过去了。
三只大一点的袋鼠都从妈妈的
袋子里跳了出来，
吃东西呀，
追逐打闹呀，
和爸爸打拳击呀，玩得不亦乐乎。

袋鼠爸爸经常对小袋鼠说：
"我最小的孩子，你要和我们一起玩吗？"
"不，"小袋鼠总是回答道，
"我不想去，我宁愿待在妈妈的袋子里。"

一天，
爸爸命令他说：
"够了！你已经不小了，
从妈妈的袋子里跳出来！现在！马上！"
小袋鼠感觉到爸爸真的发火了。

"这样吧，"爸爸说，
"你看见那棵树了吧？那边，
离你很近的，你跳起来就能够着它的枝干。"
"我够不着，我还小！"小袋鼠哭丧着脸说。
"好吧，"爸爸让步了，
"跳起来抓住那片叶子总该行吧，
就离你头顶最近的那片。"
"我够不着，它还是太高了。"

妈妈在一旁无可奈何地说：
"可是我的孩子，
你必须学会生存的本领呀。"
"我才不要呢，这些太难了！"

小袋鼠说着，
一头扎进妈妈的袋子里睡觉去了。
爸爸没办法，
只好带领着其他大一些的孩子们玩去了。

有一天，
袋鼠妈妈在草丛里发现了一只被遗弃
的树袋熊。
"噢！可怜的树袋熊。"
她说道。
于是，她把这只树袋熊放进了
自己的袋子里。

小袋鼠非常生气地喊道：
"你占用了我的袋子！
你抢走了我的地方！"
说着，
他出了一拳试图把树袋熊打出去，
可是他自己却不小心掉了出去。

他哭着喊道：
"妈妈，等等我！"
但是，
妈妈没有听见。
妈妈跳了几下就不见了踪影。

　　　　小袋鼠一下子慌了，
　　　他伤心地哭了起来。
　　"妈妈不要我了，爸爸也不要我了，
　他们再也不爱我了。"
　　可是，树林里静悄悄的，没人理他。
　　小袋鼠就想："哼，既然如此，
　我就藏起来，让你们都找不到我。"

可是要藏到哪里呢?
他看了看周围的环境,
这些是他待在妈妈袋子里面
的时候从没见过的。
小木屋、蝴蝶、蜥蜴、蝈蝈……
咦? 还有一只兔子!
兔子高兴地喊道:
"小淘气,
你从妈妈的袋子里跳出来了?"
"我才不小呢!"
小袋鼠说道。
然后,
他使劲地跳了一下,
好让大家看到他这一跳有多高多远!
小袋鼠在树林里高兴地跳来跳去,
他不知道全家人正在四处找寻他。

终于，妈妈找到了他，并把他带回了家。
妈妈把他搂在怀里疼爱地说：
"我可怜的小宝贝！"
哥哥们纷纷上前嘘寒问暖。
"你冷不？"大哥问。
"你饿不？"二哥问。
"你渴不？"三哥问。

"你害怕不？"
小树袋熊也嘟哝道。
"一点也不！"
小袋鼠自豪地说。
"你现在还想回到我的袋子里吗？"
妈妈问他。
"不想！"
小袋鼠回答道，
"把袋子留给这只小树袋熊吧，
他可比我小多了！"

说着，
小袋鼠没有等哥哥们，
也没有等正在温柔地看着
自己的爸爸妈妈，
就和兔子朋友跳到草丛里去了，
越跳越高，
越跳越远……